J'AIME ET JE SOIGNE MES

SOURIS ET RATS

Joyce Pope — Jeannie Henno

Conseiller de la collection :

Michael Findlay

Éditions Gamma — Les Éditions École Active

Paris — Tournai — Montréal

L'auteur

Joyce Pope travaille au Bureau des renseignements du Musée britannique d'Histoire naturelle, et elle donne aussi de façon régulière des conférences aux enfants et aux adultes, sur des sujets très divers.

Elle fait partie de groupes de protection de la nature et a écrit de nombreux ouvrages sur différents sujets, tels que les animaux d'Europe, les animaux des villes et les animaux de compagnie. Elle aime garder chez elle des animaux familiers, et elle possède actuellement plusieurs petits mammifères, deux chiens, un chat et un cheval.

Le conseiller

Michael Findlay est un chirurgien vétérinaire diplômé, qui s'est occupé principalement d'animaux de compagnie, et il est actuellement conseiller d'une société pharmaceutique. Il s'occupe chaque année du Crufts Dog Show et est membre du Kennel Club. Il est président de plusieurs clubs félins et du Feline Advisory Bureau. Il possède actuellement trois chats siamois et deux labradors.

Remerciements

Les photographes et éditeurs tiennent à remercier monsieur Jim Rowe, du Lynton Pet Shop de Gloucester, monsieur Neil Wallace, du Coltham Pet Shop de Cheltenham, ainsi que les familles et leurs souris et rats qui ont participé aux photographies destinées à ce livre.

Des remerciements spéciaux sont dus à Chris Henwood, membre fondateur du Small Mammals Genetic Circle, éleveur et conseiller concernant les rongeurs, pour son aide appréciable dans la réalisation de ce livre.

L'édition originale de cet ouvrage a paru sous le titre : *Mice and Rats*
Copyright © Franklin Watts Ltd 1987
12a, Golden Square, London W1
All rights reserved

Adaptation française de Jeannie Henno
Copyright © Éditions Gamma, Tournai, 1988
D / 1988 / 0195 / 21
ISBN 2-7130-0908-1
(édition originale : ISBN 0 86313 415 7)

Exclusivité au Canada :
Les Éditions École Active
2244, rue Rouen, Montréal H2K 1L5
Dépôts légaux, 2e trimestre 1988,
Bibliothèque nationale du Québec
Bibliothèque nationale du Canada
ISBN 2-89069-155-1

Présentation générale de
Ben White

Illustrations de
Hayward Art Group

Photographies de
Sally Anne Thompson et
R T Willbie / Animal Photography

Photographies complémentaires de
Chris Henwood : 12 (haut), 13 (haut), 27 (haut), 28, 29 (bas) ; Joyce
Pope : 7, 21 (gauche), 23

Imprimé en Belgique

J'AIME ET
JE SOIGNE
MES

SOURIS ET RATS

Sommaire

Introduction

Beaucoup de personnes aiment s'occuper d'animaux. Un animal familier peut rendre la vie plus amusante, plus intéressante. Sa présence réconforte souvent une personne seule ou malade.

Mais réfléchis bien avant de prendre la responsabilité d'élever un animal. Il dépendra de toi qu'il soit heureux et confiant en ta compagnie.

◁ Les rats apprivoisés sont parmi les plus intelligents de tous les petits animaux. Autrefois, ils étaient tous blancs. De nos jours, il existe des variétés de diverses couleurs. Voici un rat champagne. Les rats comprennent vite ce que l'on attend d'eux ; ils sont donc particulièrement intéressants à observer. De plus, ils sont doux et faciles à manier. Toutefois, veille à ne pas les laisser s'échapper.

Retiens bien ceci

1 N'oublie pas qu'un animal familier est un être vivant, et non un jouet que tu peux mettre sur le côté et oublier.

2 Il devra disposer d'un coin bien à lui pour dormir et d'espace pour jouer et prendre de l'exercice. Tu devras lui donner à boire et à manger tous les jours.

3 Un animal d'appartement dépend entièrement de toi. Tu devras lui consacrer du temps chaque jour, même si tu n'en as pas envie.

▽ Les souris blanches ont beaucoup de succès, car elles ne coûtent pas cher, sont faciles à élever et s'apprivoisent très vite.

Que sont les rats et souris ?

Les rats et les souris sont des mammifères du groupe des rongeurs. Tous les rongeurs ont à l'avant de leurs mâchoires de longues dents tranchantes, appelées incisives. Celles-ci poussent de façon continue tout au long de leur vie. Si elles devenaient trop longues, les animaux seraient incapables de se nourrir convenablement. Pour les user, ils doivent grignoter des aliments durs. S'ils n'en ont pas, ils rongent aussi du bois.

Les gerbilles, les hamsters et les cobayes sont des rongeurs vendus comme

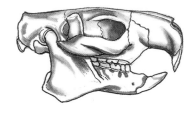

▽ Les rats domestiques sont les descendants des rats bruns. Ces derniers sont devenus un véritable fléau dans le monde entier, car ils dévastent les récoltes et les réserves de nourriture et endommagent les immeubles.

△ La souris épineuse de Crète et d'Afrique est plus craintive que les espèces qui sont vendues ordinairement comme animaux d'appartement.

animaux d'appartement. Il existe de nombreuses espèces de rats et de souris. Quelques-unes d'entre elles ont été apprivoisées et sont vendues dans des magasins ; mais la plupart vivent seulement dans la nature, à l'état sauvage.

Les annonces publicitaires offrent parfois des variétés inhabituelles de rats et de souris, comme celles illustrées sur cette page. Mais il est préférable de se limiter aux races les plus communes, moins sauvages et plus faciles à soigner. De plus, les variétés rares peuvent avoir des maladies que n'ont pas les rats et souris domestiques ordinaires.

△ Le mulot est très commun en Europe. On le voit rarement, car c'est un animal nocturne craintif et vif. Mais si tu en rencontrais un, n'essaie pas de le prendre en main ; les rongeurs peuvent mordre cruellement, surtout lorsqu'ils sont effrayés. Ils pourraient aussi te transmettre des maladies, ce qui est une raison supplémentaire de les laisser tranquilles.

7

Rats et souris domestiques

Les rats et les souris peuvent être de parfaits animaux d'appartement. Faciles à nourrir, ils ne coûtent pas cher et s'apprivoisent vite. Toutefois, ils présentent deux inconvénients : leur cage doit être nettoyée fréquemment, surtout celle des souris, qui dégagent une odeur forte et désagréable ; il faut aussi veiller à ne jamais les laisser s'échapper, car ils pourraient s'accoupler avec leurs parents sauvages et se multiplier.

Les rats, très intelligents, sont particulièrement intéressants comme petits animaux de compagnie.

△ Dès la fin du siècle dernier, des rats domestiques ont été gardés comme animaux familiers. De temps en temps, l'un d'eux naissait avec une couleur inhabituelle. Des éleveurs se sont efforcés de conserver cette particularité et, par des croisements, ont produit des espèces de couleurs variées. Sur la photo ci-dessus, tu peux voir un rat Berkshire noir.

Les premiers rats sauvages apprivoisés ont servi à des expériences de laboratoire. Peu à peu, on s'est aperçu qu'ils étaient intelligents et pouvaient constituer des animaux familiers intéressants.

La plupart des rats apprivoisés sont blancs, avec des yeux roses, mais d'autres couleurs sont de plus en plus fréquentes. Certains rats ont un pelage foncé sur la tête et les épaules et le long de la colonne vertébrale ; ces espèces ont les yeux bruns.

△ Autrefois, les rats domestiques étaient albinos, c'est-à-dire blancs, avec des yeux roses. Maintenant, certains rats au pelage clair, mais coloré en partie, ont des yeux bruns.

△ Ce rat isabelle clair a des yeux rouges.

◁ Cet autre, à tête brune, a les yeux bruns.

9

Les premières souris apprivoisées ont également servi d'animaux de laboratoire. On en compte maintenant plus de 40 variétés, de différentes couleurs, au poil long ou court, lisse ou frisé.

▷ Une souris qui a des pigments bruns dans sa fourrure, comme celle-ci, aura des yeux bruns.

▽ Une souris albinos n'a pas de pigments; c'est pourquoi sa fourrure est toujours blanche. Les albinos ont des yeux roses ou rouges; c'est la couleur du sang, que l'on voit par transparence.

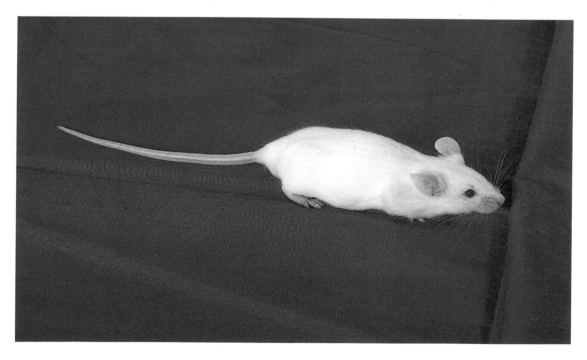

△ Voici une souris ta-
chetée gris et blanc. Sa
fourrure à taches dissy-
métriques (inégales des
deux côtés du corps) est
dite brisée.

▷ Cette autre souris, au
pelage doré clair, est dite
de teinte isabelle.

Quelques préparatifs

Si tes parents te permettent d'avoir une souris ou un rat, tu peux déjà préparer sa venue et son installation.

Il te faudra tout d'abord une cage en métal ou en plastique épais ; les rats comme les souris pourraient ronger n'importe quel autre matériau, par exemple le bois. Tu la placeras dans un endroit chaud — mais pas en plein soleil — et à l'abri des courants d'air.

△ Les photos de ces pages montrent différentes sortes de cages. Les cages à plusieurs niveaux sont parfaites, mais elles coûtent très cher. Quel que soit le modèle choisi, tes pensionnaires seront toujours heureux de pouvoir jouer hors de leur cage et d'en explorer les alentours.

◁ Tu peux acheter une cage toute préparée de ce genre pour des souris. Bien conçue, elle a un coin à dormir confortable et une roue solide, avec un côté plein, où les souris pourront courir sans risque de s'y accrocher les pattes et de les casser.

Quel que soit le modèle de cage choisi, l'animal doit toujours disposer de suffisamment de place pour courir. Les souris sont de bonnes grimpeuses. Elles apprécieront donc une cage à plusieurs niveaux, reliés par des échelles. Le coin à dormir doit être sombre : un pot à fleurs ou une boîte en carton dans laquelle tu auras découpé un petit trou conviendra parfaitement.

Une roue d'exercice, avec un côté plein, aura beaucoup de succès. En plus, procure-toi un bol à nourriture, un distributeur d'eau, de la nourriture sèche pour une semaine, des copeaux de bois (pas de sciure) pour couvrir le sol, et une matière spéciale, vendue en magasin, pour en faire un nid douillet.

△ Rats et souris aimeront se cacher ou jouer dans un bout de tuyau.

▽ Une cage de ce genre, fabriquée à la maison et intérieurement grillagée, conviendra très bien ; mais tu devras aussi permettre au rat de jouer hors de sa cage.

Choisis bien tes animaux

Peut-être as-tu des amis qui élèvent des rats ou des souris et qui peuvent te procurer les animaux que tu désires. Sinon, va les choisir dans un magasin spécialisé. Assure-toi que les femelles n'ont pas été dans la même cage qu'un mâle durant les trois dernières semaines au moins. Ne place jamais des mâles et des femelles dans une même cage, car ils auraient vite beaucoup de jeunes.

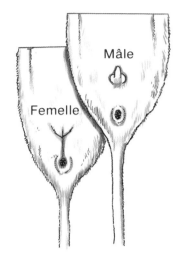

◁ Dans un magasin spécialisé, tu auras le choix entre des souris de couleurs différentes. Mieux vaut prendre deux femelles : des mâles se battraient entre eux.

Deux souris femelles s'entendront très bien. Si tu es certain d'avoir beaucoup de temps pour jouer avec lui, tu peux ne garder qu'un seul rat, mais en général, mieux vaut en prendre deux. Contrairement à de nombreux autres animaux, deux rats mâles s'entendront bien et seront heureux ensemble ; ils seront aussi pour toi de meilleurs animaux de compagnie que les femelles.

Choisis de jeunes animaux : des souris âgées d'un mois environ, des rats de six semaines au maximum. Les animaux doivent avoir des yeux brillants et un pelage lustré. N'accepte jamais un animal dont le nez coule ou dont les yeux larmoient : il est sûrement malade. Des excréments fermes, de couleur foncée, sont signe de bonne santé.

△ Pour le transport, le vendeur te donnera sans doute une boîte, si tu n'as rien prévu. Vérifie si elle est solide et ferme bien, et tapisses-en l'intérieur d'une matière douce, pour amortir les chocs éventuels.

◁ Ne choisis qu'un animal qui te paraît en parfaite santé. Il l'est sans doute s'il a les yeux vifs et le poil lustré, s'il est actif et curieux.

15

À la maison

Ramène le plus vite possible tes petits amis à la maison, mais sans les bousculer pendant le transport, et mets-les aussitôt dans la cage que tu leur as préparée. Les souris se réfugieront immédiatement dans le coin à dormir où elles resteront pendant un moment.

Les rats exploreront sans doute plus vite leur nouvel espace vital et, sans plus attendre, se mettront à manger ou à faire leur toilette.

▷ Ton animal apprendra très vite à te reconnaître. Sois calme et doux, pour ne pas l'effrayer. Ce rat est sur ses gardes, mais la curiosité domine la peur. Bientôt, il aura confiance en son jeune maître.

◁ Pour attirer l'animal, tends-lui une graine de tournesol ou bien un petit bout de fromage.

Dès que les souris ou les rats seront habitués à leur environnement, tu pourras commencer à essayer de les apprivoiser. Ne fais pas de mouvements brusques. Laisse l'animal venir vers toi. Si tu lui offres une graine de tournesol, par exemple, la curiosité et la gourmandise l'emporteront sur la peur.

Quand l'animal aura pris l'habitude de venir manger ce que tu lui tends, essaie de le saisir. Un rat doit être pris à deux mains : une sur son dos, l'autre soutenant fermement son arrière-train. Quand, assuré que tu ne lui feras aucun mal, le rat aura tout à fait confiance en toi, il s'approchera de toi et grimpera sur ton bras sans hésitation.

△ Quand la souris est apprivoisée, tu peux la prendre comme le montre la photo, en la saisissant à la base de la queue (jamais par le bout de la queue).

Comment les nourrir

À l'état sauvage, les souris et les rats mangent presque tout ce que mangent les humains. Mais quand ils sont domestiqués, ils doivent avoir un régime spécial. Il est préférable de leur donner deux repas par jour. Achète un mélange de céréales et de graines riches en graisses, pour le repas du matin.

Au début de la soirée, donne-leur à nouveau un peu de ce mélange, mais ajoutes-y l'une ou l'autre friandise, comme un petit bout de pain complet

▷ Les bols pour la nourriture doivent être assez lourds pour que les rats ou les souris ne puissent pas les renverser ou les déplacer dans la cage.

◁ Les rats et les souris emportent souvent un peu de nourriture dans un coin de la cage. Ils se servent de leurs pattes avant comme toi de tes mains pour saisir leurs aliments.

trempé dans du lait et quelques noisettes ou un morceau de fruit sec.

Les rats se régaleront de morceaux d'œuf dur, de lard fumé ou même d'un petit os (pas pointu) à ronger. La quantité dépend de la taille des animaux. Ne les suralimente pas. La nourriture non mangée doit être jetée chaque fois que tu nettoies la cage.

En plus de la nourriture sèche, les rats et souris domestiques devront recevoir des légumes ou fruits frais. Tu peux leur donner de petits morceaux que tu ne manges pas, comme des trognons de pommes ou le bout vert d'une carotte.

Enfin, veille à ce que tes pensionnaires aient toujours de l'eau fraîche. Utilise une bouteille distributrice, fixée à une paroi de la cage : ainsi, le liquide ne risque pas d'être souillé. Tes amis apprendront vite à s'en servir.

▽ Pour rester en bonne santé, comme le rat ci-dessous, tes pensionnaires doivent avoir un régime varié et équilibré, comprenant des légumes frais. Ils entasseront parfois la nourriture que tu leur donnes. Ce rat emporte un morceau de carotte dans son coin.

Quelques jouets et jeux

Une cage avec un simple coin à dormir et sans le moindre jouet offre peu d'intérêt pour des animaux actifs tels que les souris et rats. S'ils s'ennuient et sont malheureux, tes pensionnaires pourraient se mettre à ronger leur cage.

Souris et rats doivent avoir quelque chose de dur à ronger. Les magasins spécialisés vendent des blocs de bois dur pour cet usage. Mais un petit bout de branche d'un arbre fruitier, par exemple, conviendra parfaitement.

▷ Comme ton petit animal vivra presque toujours dans sa cage, donne-lui des « jouets » pour l'occuper. Un simple bout de tube — rouleau de carton ou tuyau en plastique de petit diamètre — servira de lieu d'exploration et de cachette.

△ Lorsque tu le sors de sa cage, un rat, ou une souris, grimpera sur toi pour « t'explorer », surtout s'il sait que tu caches une gâterie dans ta poche.

Une roue à tambour, avec un côté plein pour que l'animal ne puisse pas se blesser, quelques échelles et des rameaux calés dans la cage permettront un exercice suffisant. Les rats sont plus lourds et moins agiles que les souris; pour grimper, ils ont donc besoin de branches plus solides.

Tes animaux apprécieront un bout de tuyau dans lequel ils pourront se faufiler. Beaucoup de rats aiment amasser de petits objets : papiers de caramels, glands, bouts de crayon, etc., et ils cachent ces « trésors » dans leur cage. Donne-leur diverses sortes de ces objets — jamais de plastique léger qui pourrait casser en morceaux pointus — et vois ceux qu'ils préfèrent.

△ Une petite bûche comme celle-ci présente un double intérêt : l'animal peut s'amuser à y grimper ou ronger le bois, ce qui lui permettra d'user ses dents.

Encore plus d'exercice

Les souris et les rats sont particulièrement actifs durant la soirée. Si tu es certain qu'ils sont apprivoisés, tu peux les sortir de leur cage. Assure-toi qu'il n'y a aucun autre animal en liberté dans la pièce à ce moment. Un chat, ou un chien, pourchasserait tes pensionnaires et les tuerait s'il en avait la possibilité.

Attention : posées sur le sol, les souris peuvent se glisser dans le moindre petit

▽ Le meilleur moyen de pousser l'animal à faire de l'exercice dans sa cage est de fixer une roue à tambour à l'une de ses parois. Un modèle avec un côté plein évitera que la queue soit coincée entre les rayons.

trou d'où tu ne parviendras plus à les déloger, ou par où elles pourraient fuir. Examine donc la pièce à l'avance.

Les rats sont très curieux. Fabrique un labyrinthe de livres sur une table et place un bout de fromage à la sortie. Ce jeu les amusera beaucoup.

Les souris aussi aiment fourrer leur nez partout. Si tu les laisses sans surveillance, ces petits rongeurs peuvent faire beaucoup de dégâts.

△ Dès que tes pensionnaires sont complètement apprivoisés, tu peux les laisser jouer hors de leur cage. Auparavant, vérifie si les portes et fenêtres sont bien fermées et s'il n'y a pas de chat ou de chien à proximité.

Curieux et agiles, tes petits animaux grimperont partout. Surveille-les tandis qu'ils explorent la pièce, car ils pourraient faire beaucoup de dégâts, par exemple en rongeant des livres ou des tissus.

La propreté indispensable

◁ Les souris et les rats passent des heures à leur toilette. Ils peignent soigneusement leur pelage à l'aide de leurs pattes griffues. Ce rat se mordille les orteils pour les nettoyer.

Il te faudra être très attentif à la propreté de la cage. Les excréments doivent être ôtés tous les jours. Ils sont généralement groupés d'un même côté de la cage, ce qui facilite la tâche.

La souris mâle dégage une odeur forte ; c'est une raison supplémentaire de bien nettoyer la cage. Une épaisse couche (8 cm) de tourbe ou de terreau, étalée sur le plancher de la cage, absorbera bien les odeurs. Si tu as des souris mâles, tu devras sans doute la renouveler au moins toutes les deux semaines. Les rats et les souris femelles sentent beaucoup moins : leur litière doit aussi

Les souris et les rats se frottent le museau avec leurs pattes avant. Souvent, ils se retournent ensuite pour passer leur queue dans leurs pattes et en ôter la moindre saleté. Ils peuvent aussi la lécher et la mordiller.

△ En plus de l'enlèvement quotidien des déchets, tu dois aussi, chaque jour, laver les bols à l'eau très chaude. Contrairement à leurs parents sauvages, les souris et les rats domestiques ne risquent pas de te transmettre des maladies. Cependant, lave-toi soigneusement les mains chaque fois que tu as joué avec eux ou que tu les as soignés.

être remplacée, mais moins souvent.

Pour procéder à un nettoyage plus approfondi de la cage, tu devras en retirer tes petits amis. Tu pourras les placer entre-temps dans une boîte solide, munie de petits trous d'aération, ou plutôt dans une cage provisoire. Celle-ci est très utile, car elle te donne tout le temps de brosser avec un désinfectant leur « maison » habituelle, de bien la rincer et de la laisser sécher à fond avant d'y remettre tes pensionnaires.

Laisse un peu de la litière dans le coin à dormir — l'odeur familière rassurera les animaux — et remplace tout le reste.

La santé des rats et souris

Quand une souris ou un rat montre des signes évidents de maladie, il est souvent trop tard pour la traiter efficacement. Toutefois, si tu les soignes bien, les souris peuvent vivre deux ans et plus, et les rats jusque plus de cinq ans.

▷ La vétérinaire coupe les griffes d'un rat, qui sont devenues trop longues (page suivante).

▽ Examine régulièrement les dents et griffes de tes pensionnaires, pour voir si elles sont trop longues.

Un animal malade reste souvent tapi dans un coin ; il n'a plus d'appétit et son pelage est terne. Parfois, la perte d'appétit est simplement due au fait que les dents sont trop longues. Porte alors ton petit animal chez le vétérinaire, qui les coupera à la bonne longueur. Pour éviter ce problème, donne toujours à ton ami quelque chose de dur à ronger.

Les rats et les souris sont très sensibles aux changements de température. L'emplacement de la cage doit donc être bien étudié, pour que la température y soit suffisante et égale. Les courants d'air et l'humidité peuvent causer chez tes amis une bronchite ou une pneumonie, deux maladies parfois mortelles.

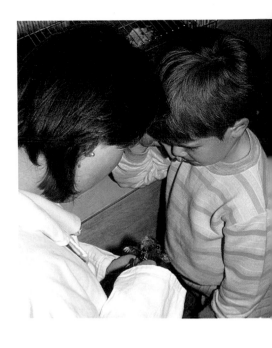

▽ Cette souris a été mordue. Il faudra la placer dans une cage séparée et la soigner avec un antiseptique léger.

Le journal de tes petits amis

Si tu t'occupes bien de tes animaux, tu connaîtras vite leurs habitudes et leurs goûts. Observe-les à des intervalles réguliers et note toutes tes remarques dans un carnet. Si tu ne les écris pas, tu les auras vite oubliées.

Par exemple, tu peux peser tes animaux, mesurer leur taille, la longueur d'une de leurs pattes arrière et celle de

▽ Tu peux tenir le journal de tes petits pensionnaires. N'oublie pas de dater toutes les observations, les photos ou les dessins.

leur queue. Celle-ci grandit-elle au fur et à mesure que l'animal vieillit ?

Pour savoir quel est l'aliment préféré d'un animal, cache l'un près de l'autre un morceau de lard fumé ou de chocolat et une noisette ou une graine de tournesol. Que mange-t-il en premier ? Choisit-il toujours la même chose ? Que se passe-t-il si tu mets de petits morceaux de son aliment préféré dans des bols de couleurs différentes ?

Ces observations peuvent te permettre de faire un exposé en classe.

△ Si tu connais quelqu'un qui fait l'élevage de souris ou de rats, tu pourras suivre le développement des jeunes. Note comme leur mère les soigne et est prête à les défendre.

◁ Pèse et mesure régulièrement tes pensionnaires pour mieux étudier leur croissance, mais veille à ce qu'ils ne s'échappent pas.

Rappel des points principaux

 Avant l'achat :

1 Assure-toi que tes parents sont d'accord et que tu as suffisamment de place pour garder des rats ou souris.

2 Procure-toi une cage, de la litière pour le plancher et le coin à dormir, des bols, un distributeur d'eau et de la nourriture.

 Tous les jours :

1 Enlève les crottes et la verdure non mangée.

2 Lave les bols (mais pas en même temps que la vaisselle de la famille !)

3 Vérifie s'il y a assez d'eau dans le distributeur.

4 Donne les repas matin et soir.

5 Joue avec tes petits amis.

 Chaque semaine :

1 Racle et désinfecte la cage des souris mâles. Pour des femelles ou des rats, le nettoyage sera moins fréquent.

2 Remplace les copeaux de bois et la plus grande partie de la litière des souris et des rats.

3 Lave et remplis le distributeur d'eau.

4 Vérifie si tes pensionnaires n'ont pas rongé leur cage. Si tel est le cas, répare la cage.

5 Si nécessaire, remplace les morceaux de bois et tout autre jouet qui seraient trop rongés.

 De temps en temps :

Assure-toi que les dents et les griffes de tes animaux ne sont pas trop longues.

Questions et réponses

Q Quel est le nom scientifique de la souris domestique ?
R *Mus musculus.*

Q Quel est le nom scientifique du rat domestique ?
R *Rattus norvegicus.*

Q Quelle doit être la grandeur de la cage d'une souris ?
R Au moins 60 cm × 30 cm × 30 cm.

Q Et quelle grandeur doit avoir la cage d'un rat ?
R Au moins 76 cm × 30 cm × 30 cm.

Q Les chats et les chiens peuvent-ils devenir les amis de rats ou de souris ?
R C'est possible, mais peu probable. Mieux vaut éloigner ton chat ou ton chien quand tu laisses tes petits pensionnaires courir hors de leur cage.

Q Peut-on placer dans une même cage une souris et un rat ?
R Les rats et les souris ne s'entendent pas très bien. Il faut donc les séparer.

Q Peut-on mettre ensemble deux souris (ou deux rats) de couleurs différentes ?
R Oui. La couleur du pelage n'a aucune importance.

Q Est-ce bien de ne garder qu'un seul rat ou une seule souris ?
R Ces animaux très sociables seront plus heureux à deux : deux rats mâles ou deux souris femelles, jamais un mâle et une femelle ensemble.

Index